我的吸血鬼同學

23 人界事變

創作繪畫・余遠鍠　　故事文字・陳四月

目錄

迦南

擁有金黃魔力的人類少女。好奇心重，領悟力強，平易近人的她曾被黑暗勢力封印起她的魔力，是九頭蛇想捉拿的人。

安德魯

吸血鬼高材生。外形冷酷，沈默寡言，喜歡閱讀的他想找出失蹤多年的父親，與迦南兩情相悅。

美杜莎

蛇髮妖族的後裔。她曾嫉妒受歡迎的迦南，但現時二人已成為朋友。

米露

身手靈活的貓女。有收集剪報的習慣，熱愛攝影的她夢想成為魔法世界的記者。

阿諾特

吸血鬼一族的王子，是被寄予厚望的天才，追求力量和榮耀的他自視高人一等，對同樣被視為天才的安德魯抱有敵意。

艾爾文

隸屬公會的吸血鬼獵人。因為父親被吸血鬼害死而十分痛恨吸血鬼，個性剛烈的他擅長使用長劍。

艾翠絲

艾爾文的妹妹。同樣因為仇恨踏上獵人之路，以一把手槍協助艾爾文執行任務，是艾爾文最重要的親人和拍檔。

愛莉

人魚族的公主，既是金黃魔力持有者，也是海洋之都未來的領導人。她的歌聲充滿了溫柔而強大的魔力。

舒雅

魔法萬事屋的店長，也是魔幻學院的畢業生。不只魔法了得，還懂得製作魔法道具。

摩卡

魔法萬事屋的吉祥物，是一隻會說話和會使用魔法的黑貓。

海德拉

才華洋溢的天才魔法師，為拆穿王國的謊言、揭露歷史真相而不惜犧牲一切，是令人聞風喪膽的黑魔法派領袖。

米迦勒

七大守望者之首，也是統領獵人公會多年的人。深藏不露的他從不在人前展現自己真正的實力。

我的
吸血鬼同學

第一章

安格斯的信

很久很久以前，女王迦莉創造了魔幻世界，讓妖魔有自己的領地，結束了人類和妖魔兩個種族漫長而且殘酷的戰爭。同時女王在世界各地留下能穿梭兩界的傳送門，好讓兩個種族能保持聯繫，**取長補短**。

迦莉深信隨著時間流逝，兩族會認識到對方的美好，仇恨會得到化解，世界最終將會一體化。人類和妖魔再次生活在同一天空下，才是迦莉最想看見的未來。

「傳送門失效……是迦南導致的嗎？」安德魯十分震驚。

但現在兩界的局面，和迦莉理想中的**差天共地**。

「只有女王的魔力能影響傳送門，除了迦南不會有其他人能辦得到。」不只舒雅藏在萬事屋地下室的傳送裝置失效，全世界的傳送門都已被關上。

「我不明白……為什麼迦南要這樣做？」安德魯和迦南能在魔幻世界相遇，也是透過人界的傳送門。

「如此重大的決策和米迦勒脫不了關係，關閉傳送門毫無疑問是獵人公會對魔幻世界作出的挑釁。」摩卡曾受米迦勒殘忍對待，牠知道米迦勒的野心有多大。

「我是不是不用回去海洋之都了？」愛莉還未意識到，事態有多麼嚴重。

「**傻瓜公主，你可能以後也沒有機會回去了。**」摩卡知道米迦勒這一著，等於是獵人向妖魔宣戰。

「身在人界的妖魔已沒有回家的去路，他們很有可能會被獵人趕盡殺絕。」舒雅接受了基德的委託，要把愛莉安全送回海洋之都，現在她已沒法完成任務。

「那我應該怎麼辦？我該不會像阿諾特說的，被捉來做人魚刺身吧？」愛莉現在才**恍然大悟**，何時才能回魔幻世界，根本無人知曉。

為了愛莉的人身安全，舒雅和安德魯經過商議後，決定把愛莉帶回人界實習生的專用宿舍。這裡雖然是妖魔聚居之地，但他們都是學生，舒雅相信獵人不會對學生做出過分的舉動，比起通緝犯阿諾特的巢穴，學生宿舍還是安全得多。

實習生宿舍大宅內，貓女米露和蛇髮魔女美杜莎已為愛莉準備好房間，她們十分樂見愛莉到來。女士們聚集在底層大廳的公共空間**談笑風生**，令宿舍變得更加熱鬧。

「為了見艾爾文而隻身從海洋之都跑到人界，你的膽子真大啊，要知道現在妖魔在人界是不受歡迎的……」美杜莎邊吃著爆米花邊說。

「雖然不知道傳送門會在何時恢復正常，但你就放心在這裡和我們一起生活吧！」米露很高興又能和同班同學重逢。

「聽說是迦南把傳送門關上的，要不我們去獵人總部拜託她重新開啟吧？」愛莉和迦南關係友好，她相信迦南不會拒絕。

「就連安德魯也無法和迦南見面，我相信你這偷渡客去到獵人總部只會**送羊入虎口**呢！」米露拿出《魔幻日報》，報章刊登了公會發出的最新聲明。

黑魔法派公然在人界發動恐怖襲擊，海德拉企圖行刺女王，獵人公會正式宣布人界進入緊急狀態，逗留人界的妖魔將接受獵人查問，傳送門即時開始封閉，直至危機解除。

實習記者米露在人界工作期間看到了很多不為人知的真相。

對了，安德魯呢？他不下來和我們聚會嗎？
?

他每天實習結束後也躲在房間，神神秘秘不知道在幹什麼。
要一起去嚇他一跳嗎？安德魯常常忘記鎖門。
好啊！

安德魯之所以常常獨留房間，是因為他埋首於深淵魔法上，深淵魔法雖然比普通魔法強，但絕不如傳說般強大得能一統魔幻世界。而魔法書上記載的魔法他已學得**七七八八**，唯有最後空白的頁數可能隱藏著更強大的秘術。

「雖然不知道收信者是誰，但請原諒我擅自打開。」安德魯估計這封信是線索，是指引他解開謎團的鑰匙。

「又是空白的？不可能……為什麼是空白的？」任憑安德魯怎樣翻看，信上也沒有任何文字。

「難道……」安德魯靈機一觸，這可能和打開寶箱的方法一樣，**吸血鬼安格斯留下的秘寶，只讓吸血鬼得到。**

安德魯在手指上咬出傷口，讓血液滴在信紙上。

「沒有顯示出文字，難道要更大量的血液嗎？」安德魯拿起信紙的瞬間，四周圍的環境急劇變化。

安德魯不再身處於自己的房間，而是一個**破落衰敗**的歐洲城堡。

「吸了蘊含黃金魔力之血的吸血鬼，最終還是再次出現了嗎？」男人坐在飽歷風霜的王座上，王座背後有一個高達十米的石像巨兵。

「魔界之王，安格斯……」安德魯很快認出眼前的男人，因為他就是安格斯的轉生。

安格斯沒有散發帝王的霸氣，只流露出沉重和悲傷。

「能夠看見這段信息的，只有和我一樣吸了不該吸的血的人，你也被逼上絕境了嗎？」安格斯的魔法信，是寫給和他有相同經歷的吸血鬼，只有吸過金黃魔力的吸血鬼血液才能解開信上的封印。

「我需要更強大的力量，我的女王在等待我拯救。」安德魯以**誠懇真摯**的態度說。

安德魯找到安格斯遺留的信息，這將為他拯救迦南帶來重大幫助，但在他的意識被帶到這意識空間的同時，他的身體正不受控制引發躁動。

第二章

掃蕩行動（上）

安德魯的房間內，在他解開魔法信的封印後，他的意識便被帶到安格斯生前創造的空間。

「安德魯！你不要嚇我們呀！」愛莉、米露和美杜莎本想偷偷潛入房間嚇安德魯一跳，卻發現他躺在地上，一動不動。

「他的呼吸和心跳也是正常的，到底發生什麼事了？」見習護士美杜莎立即檢查安德魯的身體狀況。

「看來和魔界之王留下的東西脫不了關係。」米露留意到安德魯的手上還握住染血的信。

「怎麼辦？安德魯會不會有生命危險？」愛莉緊張地問。

「他的魔力在急劇上升，像有什麼要失控爆發……」美杜莎按住安德魯的胸口，手心彷似被電流通過。

三人還來不及躲避，便受到安德魯突然爆發出的強大雷電魔法所傷，就連實習生宿舍也被炸出一個大洞。

「太懦弱了，怎能讓迦南落在那些人手中也無動於衷！」安德魯醒來了，但他**目露凶光**，和往日平和的樣子截然不同。

潛伏在安德魯體內的心魔終於找到能佔據身體主權的時機。

「安德魯……你怎麼了？」愛莉感到陌生和恐懼，眼前的男生散發著非比尋常的魔力。

「既然已學了深淵魔法，就應該馬上殺入公會，救迦南出來。」心魔不再安分守己，因為迦南正處於**水深火熱**之中。

「什麼守望者……我現在就去把他們殺個片甲不留！」心魔是狂暴的化身，是安德魯陰暗面的集合體。

心魔現在能自由操控安德魯的身體，他展開蝙蝠翅膀準備向獵人總部發動突擊，卻發現雙腳被牢牢固定在地上。

「他不是安德魯……不能讓他離開這裡。」蛇髮魔女及時使出看家本領，以石化魔法令心魔無法活動自如。

「阻礙我救迦南的都是我的敵人，你們作好心理準備了嗎？」心魔舉起魔法杖，凝聚起足以致命的雷電魔法。

「隱身魔法！」記者米露使出在跟蹤拍攝時能隱藏身影的魔法。

「怎麼了？不是說要阻止我嗎？閃閃縮縮的鼠輩又怎阻得了我？」心魔沒有就此罷休，他隨意施放的雷電差一點點便命中隱身的三人。

「你說他不是安德魯，那現在到底是什麼情況呀？」米露深感畏懼，隱身魔法效力沒法維持多久。

「**你們會不會能喚醒心智的魔法？**安德魯的意識還在身體內。」美杜莎在妖魔醫學的典籍上看過，這是曾犯禁的吸血鬼才會出現的現象。

「在這裡嗎？」心魔的又一次攻擊和三人僅僅**擦肩而過**。

「讓我試試。」愛莉不會這種魔法，但人魚之歌中有能發揮同樣效果的曲目。

「想喚醒安德魯……我不允許！」人魚的歌聲令心魔頭痛欲裂，就算愛莉等人能隱藏身影，但聲音卻會暴露位置。

「防禦魔法！石化牆壁！」雷電魔法直迫愛莉，幸好米露和美杜莎在**千鈞一髮**之際築起防禦。

「深淵……魔法……」人魚之歌奏效了，步步進逼的心魔終於停下腳步。

「安格斯呢？我還有問題未問他。」安德魯的意識被拉回現實世界。

「發生什麼事了？我的房間為何會變成這樣的？」安德魯不知道心魔的所作所為，只見房間沙塵滾滾，牆壁被炸開一個大洞。

「安德魯回來就好了……我們以後不敢再偷偷溜進你的房間了。」解除隱身的少女們扭抱在一起，邊哭邊說。

宿舍損壞了，可以用魔法修補。但這次若不是愛莉在場，安德魯的後果便**不堪設想**。但安德魯還需要進入安格斯創造的意識空間，他和安格斯的對話還未結束。

傳送門全面封閉後，滯留人界的妖魔失去了返回家鄉的方法，同時不再擔心會有更多妖魔出現在人界，獵人對妖魔的清洗行動正式展開。

鋼鐵之守望者拉斐爾和神火之守望者烏

列爾分別帶領獵人小隊在人界進行地氈式搜索，務求儘快找出黑魔法派的下落。

人界的一個唐樓舊區內，有一間其貌不揚的小餐館，就算在深宵時分仍然**燈火通明**，餐館老闆會把每天餘下的食材做成飯盒，免費贈送給居住在舊區的街坊，為有需要的人送暖。

「營業時間已經結束了，需要飯盒的話請稍等一會兒。」**和顏悅色**的老闆雖然身材肥胖，但手腳十分靈活，廚房內所有工作也由他一手包辦。

「我們不是來光顧的，妖魔龐克。」拉斐爾不是食客，而是無情的執法者。

龐克的善舉維持了多年，昔日他初到人界受過人類一飯之德，深受感動的他在經營自己的小餐館後，便決定仿效這位恩人。只要踏進他的小餐館，無論是人類或妖魔也不會受到差別待遇。

「我只是個普通的小店老闆，何事驚動到公會總部的守望者大駕光臨？」龐克**問心無愧**，在人界生活多年他沒有做過傷天害理之事。

「我收到可靠情報，證實你近日曾和黑魔法派成員接觸，估計他們是想拉攏你加入吧？任何勾結黑魔法派的妖魔，獵人公會也不會姑息的。」拉斐爾兩手穿戴著新型的魔力拳套，身後的獵人全都是新編制的部隊，他們手持魔力大炮，配備比傳統獵人精良。

「黑魔法派的妖魔也會肚餓，我不會選擇客人，**來我這裡吃飯的客人沒有黨派之分。**」龐克收起笑容，來犯者充滿敵意。

「念在你沒有作案紀錄，若你肯供出黑魔法派的下落，我可以免你一死。」拉斐爾發出**最後通牒**。

「我沒有加入他們，也不知道他們的下落，公會和黑魔法派的鬥爭與我無關。」龐克的想法和很多仍留在人界的妖魔一樣。

「你搞錯了，這不是公會和黑魔法派的鬥爭。」然而這些保持中立的妖魔忽略了一個重點。

「而是人類和妖魔的全面戰爭。」現在不臣服於公會的所有妖魔，會被視為叛亂分子。

金屬碰撞交擊**叮噹作響**，拉斐爾話語剛落便發起進攻，龐克以鐵鑊擋下鐵拳，其衝擊力還是足以把他擊退。

你由始至終也沒有打算放我一馬，對嗎？

「鋼鐵魔法，千斤壓頂。」拉斐爾施展魔法，他能任意改變鋼鐵的重量和質量，令菜刀沉重得難以拔起。

「向女王效忠，是你唯一生路。」拉斐爾已掌控戰局，尋常妖魔難以和守望者匹敵。

「這豈不是要我為公會狩獵妖魔，**你們的所作所為和黑魔法派又有何分別？**」龐克寧死不屈。

「既然你選擇對抗，獵人公會有權利為人類福祉，將你就地正法。」拉斐爾想狠下殺手，時間卻在他高舉拳頭時被停止住了。

「靜止魔法！」吸血鬼約娜和鳥人露比的出現為龐克帶來一線生機。

人界之內除了黑魔法派，還存在讓不願參與鬥爭的妖魔能佔一席位的群體，他們的力量雖然還未夠強大，但足以成為亂世下的***救命稻草***。

第三章

掃蕩行動（下）

阿諾特得知傳送門被徹底關閉後，便在第一時間派出他的追隨者四出尋找還身在人界的妖魔，因為他知道公會一定會採取行動，來不及返回魔幻世界的妖魔隨時會有生命危機。

「唐醫生，請立即跟我們離開，獵人很快便會找到這裡。」阿諾特身處唐樓舊區，他們知道醫治妖魔的仁醫，一定會成為獵人的目標。

「但是……這裡有很多重要的資料，我需要把它們帶走。」木乃伊唐醫生猶疑不決，一時間不知如何是好。

「老大，獵人正在上來了。」負責把風的黑狼奇洛說。

「沒時間了，資料沒了可以再收集過，你的性命才是最寶貴的。」還有很多像小靈般不能向正常醫生求醫的患者，需要唐醫生幫助，阿諾特不能讓他被公會消滅。

木門被魔力大炮射成木碎，新編制的獵人全是由人界軍隊中挑選出來。

「黑焰盾！」阿諾特留在這裡拖延時間，好讓奇洛背起唐醫生儘快離開。

「使用黑焰魔法的吸血鬼，是通緝犯阿諾特。」見面會和晚宴結束後，信徒親眼目睹女王施展魔法，公會便得到更多達官貴人的支援，人力不足的問題隨即得到解決。

這就是米迦勒這麼重視女王的原因，當傳說變成事實，人們的信仰便會大於一切，他們甘願奉獻，因為他們見證了奇蹟。

「為了人界和平，被通緝的妖魔格殺勿論，全體準備射擊！」公會挑選軍人的原因，是因為他們服從性強，不會對命令有所質疑。

妖魔是人類的天敵，米迦勒把這想法植根在每一個新編制的獵人腦海中。

「就憑你們？」阿諾特關上電燈，醫務所隨即**漆黑一片**。

獵人們伸手不見五指，全都不敢輕舉妄動，生怕一旦開始射擊便會誤傷自己的隊友，但黑暗對吸血鬼來說是最有利的環境。

「算你們走運，殺了你們，我會被艾翠絲痛罵的。」吸血鬼的天賦讓阿諾特能憑聲音確認敵人位置，但他還是**點到即止**把敵人打昏放倒。

奇洛和唐醫生已遠離舊區，阿諾特準備**功成身退**之際，從後而來熾熱的魔力卻令他不敢忽視，率領獵人的神火之守望者正拉緊弓弦。

「藍色的制服，這傢伙和加百列一樣是守望者。」阿諾特生性好強，再戰守望者是他心心念念的事。

黑暗的環境不影響烏列爾，因為雙目失明的他早已習慣了黑暗。

「黑焰火鳥魔法！」阿諾特先發制人，威力卻不如烏列爾射出被神火包圍的箭。

箭衝破黑焰火鳥，在觸及阿特特的瞬間發出爆炸，這種科技與魔法結合的武器，加上新編制獵人所使用的裝備，不由得阿諾特想起他**千辛萬苦**才摧毀的敵人——天啟財團。

「現在還不是和守望者開戰的時候，我們後會有期吧。」阿諾特以蝙蝠翅膀保護身體，借助爆炸的威力飛出窗外。

阿諾特此行的目的是拯救滯留人界的妖魔，作為一方領袖他學會放下個人榮辱，以大局為先。

「烏列爾大人，那頭吸血鬼……」倒下的獵人們逐漸恢復意識。

「**窮寇莫追**，只要我們繼續清掃人界，他早晚會成為我箭下亡魂！」烏列爾說。

獵人公會經已吹響戰爭的號角，就算今日妖魔能避過一劫，他們還會不停找不服從的妖魔，直至把反對聲音撲滅。

傳送門全面封閉的第一晚，阿諾特的據點已多收容了數十名妖魔，但這數目只是人界妖魔中的**冰山一角**。

「哥哥，傷者人數眾多，而且我們的糧食儲備不足以維持多久。」約娜擔憂著說。

「人數多了，這據點被發現的風險也增加了，情況對我們十分不利。」露比雖然希望能幫助更多同胞，但事與願違，她親眼目睹妖魔來不及走避，被獵人當場處決。

「老大，獵人的數量變多了，而且我留意到他們的裝備……」奇洛心有餘悸。

「是天啟財團，我們雖然摧毀了很多設備，但最終沒有找到的發光水晶，看來是當日被公會捷足先登了。」最令阿諾特困擾的，是這足以證明**曾受重挫的天啟財團已捲土重來**。

「單靠我們……是改變不了現狀的。」阿諾特頭痛萬分，長此下去，人界妖魔被滅絕只是時間問題。

右京臨終前告知阿諾特還有更多受到人體實驗的孩子被藏在公會的獵人總部，當時阿諾特已猜到天啟財團和獵人總部的關係非比尋常。「公會這一著實在令人措手不及，但是什麼原因令他們突然加速行動？」約娜覺得**事有蹺蹊**。

「是想迫海德拉現身吧，沒有返回魔幻世界的傳送門，他便只能孤注一擲。」阿諾特有不祥預感，迫虎跳牆必定會引來激烈反抗。

這晚為了妖魔而**四處奔波**的，還有黑魔法派，海德拉派人分頭行事，獲救的妖魔數目不下於阿諾特的黨羽，但持續和公會對抗，黑魔法派的損失也十分慘重，當中不乏幹部級成員。

「妮歌，一直以來實在辛苦你了。」海德拉看到同胞的屍體難掩哀傷，能成為幹部的都是追隨他已久，情同手足的家人。

公會早前損失了兩名守望者，黑魔法派陣亡的幹部比對方更多。蠍子女妖妮歌、巨人一郎和二郎，加上今天殞命的鳥人福特，幹部成員足足減少了一半。

「海德拉大人，此仇不共戴天……他們濫殺妖魔，我們應該**以其人之道，還治其人之身**！」三頭犬賽伯拉斯情緒激動，支持他的妖魔相繼站在他的身旁。

自從兩族衝突再次爆發，魔幻王國一直按兵不動，現在傳送門已被關上，海德不能指望國王阿瑟會拯救滯留人界的妖魔。

「尤莉亞啊，你的預言是準確的。昔日你預言我會為兩界帶來末日，明日……我便要先血洗人界！」海德拉**昂首挺胸**，他不能令誓死效忠他的同胞失望。

人界也好，魔幻世界也好，雙方也令海德拉失望透頂，與其**坐以待斃**，不如拼命掙扎。

第四章

實習生的委託

魔法萬事屋內，經歷昨晚的巨變，舒雅原定的工作都被取消了，舒雅的委託人不少也是妖魔，他們現在全部**下落不明**，舒雅雖然十分擔心，但也於事無補。

「沒有委託就只能休息一天了……」舒雅失望地說。

「這情況不知道會持續多久，如果一直沒有委託，難道你就一直休息嗎？」摩卡知道舒雅對現在的狀況很不滿，但她不會**挺身而出**。

因為舒雅決意不和公會扯上任何關係，這是她為了保護摩卡而下的決定。只要保持中立，舒雅和摩卡便不會被公會視為敵人。

「休息也沒有什麼不好呀！我可以趁這空檔整理一下地下室的魔法道具。」只要舒雅不和公會作對，摩卡便能繼續在萬事屋和她一起過安穩的日子。

「這真的是你心裡的想法嗎？不是自欺欺人嗎？」摩卡很了解舒雅，熱心而且善良的她只是裝作漠不關心。

舒雅一言不發，安德魯剛好在這時回到萬事屋，他還未知道傳送門關閉造成的影響，每分每秒也在擴大。

「舒雅，摩卡……」安德魯欲言又止。

「啊！安德魯，今天的委託取消了，你可以休息一天。」安德魯的出現為舒雅提供了轉移話題的機會，她保持微笑，就像什麼事也沒有發生。

「對啊，外面天下大亂，但舒雅打算一直休息。」摩卡向舒雅**冷嘲熱諷**，牠不希望舒雅違背自己。

「沒有其他委託的話，可以接受我的委託嗎？」突如其來的休息日，對安德魯來說是重要的機會。

「你的委託？」聽到委託二字，舒雅頓時**興致勃勃**。

於是，安德魯把昨晚的經歷一五一十告訴舒雅和摩卡，魔界之王隱藏起最重要的魔法，只有吸過迦南鮮血的安德魯才能打開。但要學習這些魔法，安德魯的身體會被心魔佔據，幸好愛莉及時喚醒他，他才沒有對外界造成威脅。

「原來如此……你已獲得魔界之王的魔法杖，只要習得所有深淵魔法，很有可能能打破現狀。」舒雅思考著說。

魔界之王對妖魔意義重大，這身份的影響力，甚至比黑魔法派領袖更高。

「我必須再和安格斯見面，除了深淵魔法外，我還有問題要問他。」安德魯和安格斯的對話被人魚之歌中斷，當時安格斯正在說起**不為人知**的歷史真相。

「但讓意識進入魔法書，身體便會被心魔奪去主導權……所以你想委託舒雅什麼？」摩卡問。

「我知道舒雅你比我更強，我希望在我學習深淵魔法的期間，能看管我的身體。」安德魯和心魔同樣心繫迦南，但他不能任由心魔**任意妄為**。

在安德魯和舒雅相處的日子中，安德魯見識到舒雅的厲害，在人界中他能安心託付的人也只有萬事屋店長。

「舒雅，你意下如何？」這委託意味著兩人恐怕要**大打出手**，而摩卡知道舒雅不喜歡把魔法用在戰鬥之上。

「既然是實習生的委託，我當然不能拒絕；但在開始之前，我們有不少東西要準備呢。」沒料到，舒雅**二話不說**便點頭答應。

舒雅一直認為安德魯相當有潛力，現在他的潛力有望改變人界紛亂的局勢。

萬事屋地下室內，除了安德魯、舒雅和摩卡外，安德魯更聽舒雅吩咐把宿舍的三位女同學帶到萬事屋。

「我們真的能幫上忙嗎？」愛莉問。

「你們有成功喚醒安德魯的經驗，必要時候我們需要人魚的歌聲確保能壓制狂暴的心魔。而且我和心魔交手的途中，很可能需要你們使用回復和治療魔法。」舒雅拿出一個水晶球擺設，水晶球內有一間**美輪美奐**的度假木屋坐落在沙灘上。

「更重要的是，人界的實習工作恐怕難以繼續了，宿舍也不再是安全的地方。萬事屋佈置了多重結界，一定比宿舍安全得多。」摩卡接著說。

《魔幻日報》的辦公室和美杜莎任職的診所也在昨晚遭到獵人查封，米露和美杜莎的實習工作也被迫暫停。

「大家準備好了嗎？」舒雅把水晶球放在桌上，並開啟座枱燈照射向它。

「準備好了。」安德魯拿著深淵魔法書，

他要在魔界之王身上，得到改變局面的力量。

「大家請把手放在水晶球上，我們要開始轉移了！」水晶球不是普通擺設，而是舒雅親手製作的魔法道具。

轉眼之間，眾人身處的環境已不再是侷促的地下室，而是變成一片**陽光明媚**的廣闊沙灘。

「嘩！剛才的是傳送魔法嗎？這裡是人界的旅遊勝地嗎？」愛莉喜歡沙灘。

「不，我們被轉移到水晶球內了。」安德魯很快發現真相，他們身後的木屋和在水晶球內的是一模一樣的，明媚的陽光不過是枱燈照射的燈光。

「叮咚，答對了！這是我特別製作用來享受假日時光的魔法道具，在這裡時間的流逝會比外界慢很多，而且水晶球的內壁**牢不可破**，我們可以安心施展大型魔法。」舒雅準備了最適合的環境，就算心魔如何攻擊也不怕影響外界。

「小子，你就放心把身體交給心魔吧，舒雅會好好教訓他的。」摩卡意味深長的笑著說。

「拜託你們了。」安德魯咬破指頭，準備在空白的頁面上再次和安格斯見面。

深淵魔法的修行正式開始，安德魯唯有盡快**學成歸來**，才能阻止悲劇般的命運重演。被命運糾纏的不只安德魯、迦南和海德拉，還有只有安格斯才知道的另一個人。

第五章 修行開始

安德魯的意識回到了上一次和安格斯見面的地方，同樣是破敗不堪的城堡，不同的是這次安格斯已手握魔法杖。

「安格斯，我們繼續上次的話題吧。」安德魯說。

「若你學不會深淵魔法中的秘術，就算知道真相也沒有能力改變，所以我們不要浪費時間了，讓我看看為了女王你能否通過我的考驗吧。」安格斯的魔力傾瀉而出，安德魯面對的是全盛時期的魔界之王。

「儘管放馬過來。」安德魯同樣拿著魔法杖「嗜血的帝王」，就像迦南透過迦莉覺醒女王的力量，帝王的轉生也開始了力量的傳承。

而在水晶球內，安德魯的身體再次被心魔佔據，一心拯救迦南的他把其他人都當成敵人。

「雷霆爆裂魔法！」心魔向天施展重擊，但水晶球內壁絲毫無損。

「不用白費力氣了，解開水晶球的方法只有我才知道。」舒雅面對目露凶光的心魔，毫無懼色。

魔法杖、魔法書和自動翻頁書籤、還有收納魔法道具的斜肩包，舒雅已作好戰鬥準備。

「你們把希望放在安德魯身上是錯的，我要從公會救出迦南，帶她遠走高飛。」心魔把目標轉移向舒雅，只有打倒她，才能離開這魔法道具。

「那麼你得先過我這一關了。」舒雅自信滿滿，她從未令委託人失望。

心魔本想先下手為強，但他施放的雷電魔法反而落在自己身上，魔法突然**不聽使喚**背後一定是舒雅作祟。

「嘻嘻，我在魔幻學園可是以一級榮譽畢業的啊，小看我是要吃苦頭的。」舒雅不喜歡戰鬥，但她認真的時候實力不比一流魔法師遜色。

「魔法不行的話……就改變策略吧，霧化！」心魔化作煙霧，悄悄在舒雅身後揮動利爪。

「沒有用的……」舒雅腳下的沙聚集成兩隻大手，自動作出防禦。

「火球！」而且舒雅身邊還有會魔法的摩卡，心魔的攻勢**節節敗退**。

「在安德魯學成歸來前，我就好好陪你玩玩吧。」舒雅的目標是拖延時間，好讓安德魯能安心在意識世界學習。

這將會是一場漫長的持久戰，深淵魔法書內空白的頁數一共有三頁，安德魯到底要花多少時間才能全部學會仍是**未知之數**。然而米迦勒是不會坐以待斃的，既然迦南已取得信徒和投資者的信任，他是時候推動計劃的下一步。

獵人公會總部內，迦南自實習開始以來一直受加百列和雷米爾貼身保護，表面上是為了迦南的安全著想，實際上是對她進行**嚴密監視**。

「你們退下吧，今天由我親自保護女王。」米迦勒說。

「終於不用再看管那丫頭了！我可以到外面自由活動嗎？」雷霆之守望者等待這機會已久。

「你是打算加入掃蕩妖魔的行動吧？」米迦勒很清楚守望者們的願望，因為他們都是由米迦勒親自挑選的。

「沒錯，把可恨的妖魔殺得一乾二淨，我是為了這目的才加入公會的。」雷米爾小時候親眼目睹雙親慘死在妖魔手上，此後她對所有妖魔也充滿仇恨。

守望者全部都有相似的經歷，米迦勒刻意挑選他們，因為他們不會對妖魔有同情心，不會在關鍵時刻**心慈手軟**。

「黑魔法派隨時有所行動，你們加倍小心。」但米迦勒的背景和過去，其他守望者毫不知情，也沒有人曾主動問起。

大家都很自然的相信米迦勒，相信沒有米迦勒就沒有今日的公會。

「米迦勒你要帶女王去哪裡？」加百列的故鄉在妖魔的襲擊下被**夷為平地**，他一樣對妖魔充滿仇恨。

「我要和女王進行思想教育的最後一課。」米迦勒說。

「女王，今天由我來擔任你的貼身保鏢。」米迦勒踏入迦南的房間。

餐桌上的早餐幾乎沒有減少過，迦南坐在餐桌前**神情呆滯**。

女王你怎麼了？
身體不適嗎？

米迦勒體貼問候，迦南這段日子以來的一舉一動也在他的掌控中。

「我沒有食慾……昨晚我**徹夜難眠**，關閉傳送門是正確的選擇嗎？我真的做對了嗎？」迦南的思緒十分混亂，她在**群眾壓力**之下作出決定，只知道這是米迦勒和信徒想得到的結果 。

「就算食慾不振也得吃一點，你是人類的希望，你的健康是最重要的。」米迦勒親自餵迦南進食，他有確保迦南把每天膳食吃光的重要理由。

「女王，我帶你去一個地方吧，看到那充滿希望的景象，你便會知道你所做的一切都是正確的，你的心情也會好起來。」米迦勒知道時機已成熟了。

水晶球內，心魔和舒雅的戰鬥已持續了一段時間，雖然心魔的攻勢愈來愈猛烈，但舒雅仍然穩佔上風。

「她是魔幻學園的畢業生吧？比我們厲害得多啊……」愛莉對**遊刃有餘**的舒雅十分佩服。

「看來她完全不需要我們協助呢。」美杜莎感到樂觀。

「不……雖然形勢看似是舒雅前輩佔優，但安德魯本身擁有的魔力遠超常人，持久戰對前輩並不有利。」米露的語氣像個評論員。

接二連三被自己的魔法擊中，心魔終於發現舒雅動了什麼手腳。

「*原來是這小東西在作怪。*」安德魯發現每次攻擊也是先擊中他衣服的口袋，立即取出舒雅提前放到他口袋中的魔法道具。

魔法引雷針，它會把攻擊魔法吸引到身上，作用和人類世界的避雷針相似。

「這次你躲不開了……」雷電凝聚在魔法杖上，心魔的全力攻擊**蓄勢待發**。

「摩卡，準備防禦魔法。」雖然舒雅的魔法道具被毀，但她還準備了各種應對措施。

「安德魯……為什麼偏偏要在這時候……」**殺氣騰騰**的心魔本想還以顏色，但強烈的頭痛突然襲來。

「看來我們順利完成第一階段了。」舒雅鬆一口氣，看來安德魯已學成第一個秘術。

大家，我回來了。

「安德魯！太好了，你剛才的樣子真的很可怕。」愛莉等人也放下心頭大石。

「歡迎回來，我們稍作休息吧。」舒雅雖然扮作**若無其事**，但在極度集中的第一階段戰鬥中，已消耗了她不少體力和魔法道具。

「小子，你要好好感激舒雅，一般對她動粗的人，我也絕對不會客氣的。」摩卡看出舒雅在掩飾心中的不安，第二階段將會比剛才更加激烈。

安德魯除了感激舒雅外，同樣感到十分不安。完成了第一階段後，他對深淵魔法的掌握已大大提升，這意味著心魔的實力亦會變得更強大，舒雅的下一仗將會更加艱辛。

「不要胡思亂想，你的職責是學會空白的三頁魔法，其餘的事情便交給我辦吧。」舒雅微笑著安慰他，唯有**心無雜念**才能通過這考驗。

另一邊廂，迦南在米迦勒的引領下進入了公會總部的神秘地帶，這裡不只隱藏著米迦勒的野心，還隱藏著他的另一個身份。

「這升降機到底會通往哪裡？」迦南不知道已下降了多少樓層，只知道目的地在很深很深的地方。

「通往人類的美好未來，在那裡，你能看到人類文明的新一頁。」米迦勒**處心積慮**為人界帶來改變，在迦南身上的力量覺醒前，他已一直在實行他的計劃。

升降機門緩緩打開，迦南看到刺眼的陽光，這裡的空氣比地面潔淨清新，所有建築物光潔亮麗，有如科幻電影的未來市鎮。

「真的假的？地底下怎可能藏著這麼大的城市，而且這天空、這微風，一切也是這麼真實。」迦南被眼前的景象震驚得**目瞪口呆**。

「這是以魔力為主要動力來源的城市，雖然還在實驗階段，但已足夠表現出魔法城市的可行性。」米迦勒舉起雙手，天空呼應他的魔力而改變，蔚藍的晴空瞬間轉變成金黃的黃昏。

城市被巨型天幕包圍，只要有魔法力量，這裡的一草一木永遠不會枯死。

「米迦勒先生！」生活在這裡的人面帶笑容，對城市的創造主打招呼。

「女王，你覺得這裡如何？」米迦勒和迦南一路走著。

「這裡很和諧，而且**生機勃勃**……」迦南感受到巨大的差異。

迦南四處張望，城市內的人充滿活力，臉上帶著幸福的表情，而且他們全都散發著魔法力量。地面上人們長期**疲於奔命**，充斥著負面情緒，吵雜的聲響更令人煩躁不安，空氣混濁烏煙瘴氣；相比之下，這裡可說是世外桃源。

「這裡是人類最理想的國度，而且**這裡的每一個人也會使用魔法**。」米迦勒說。

這裡沒有汽車，人們騎著飛行掃帚出入往來，在能自由使用魔法的世界，所有事物變得輕鬆簡單。

「人界內還有這麼多人會使用魔法嗎？」這和迦南所知道的事實不一樣，覺醒了魔力的人類少之又少。

「他們原本都是平凡的人類，是我經過漫長的研究，反覆的實驗才有今日這成績。」公會的領導人，只不過是米迦勒其中一個身份。

說著說著，迦南跟隨米迦勒走到一個火箭

發射站，一箱箱魔力石正飄浮向火箭，是和小靈一樣手部有實驗痕跡的孩子，在以魔法搬運魔力石。

「人體實驗，還有這些發光水晶……米迦勒你和天啟財團到底有什麼關係？」迦南雖然和天啟財團未發生正面衝突，但從阿諾特口中聽過它的惡行。

阿諾特搗破天啟財團三個據點也找不到發光水晶，因為米迦勒**洞悉先機**，早一步把重要物資運送到這裡。

第七章 公會的秘密（下）

領導公會的守望者之首——米迦勒，竟就是阿諾特**苦尋無果**的天啟財團幕後主腦！

「天啟財團是我為了鞏固公會的實力而創立的。」米迦勒對此感到十分自豪。

「你……」迦南意識到不妥，本能反應下拿出「女王的權杖」。

「請你冷靜一點，我知道你對天啟財團有些誤會，但誤會是可以透過對話化解的。」米迦勒**不慌不忙**，在他的魔力覆蓋範圍下，迦南是無法反抗他的。

迦南的每一頓飯菜也被下了特製的迷藥，加上長時間的思想教育和高壓環境，她已被米迦勒套上無形的頸圈。

我所造的一切，也是為了完成迦莉無法完成的偉業。魔法，是人類保護自己必要的工具；沒有魔法，人類在妖魔面前是多麼的脆弱。

你親眼目睹了，魔法能令人類世界變得美好，為什麼只有一小撮人能使用魔法？你不覺得這樣很不公平嗎？

這城市是實驗，也是證據，迦南沒法否定米迦勒的說話。

「我已經掌握了讓所有人魔力覺醒的方法，因為你的出現，這不再是**天方夜譚**了，我們能夠辦得到。」米迦勒握緊迦南的手，給予他堅定的答案。

「迦莉真的希望讓所有人也能使用魔法嗎？」迦南**猶豫不決**，她只知道迦莉渴望和平。

「如果當日所有人也會用魔法保護自己，妖魔又豈敢肆意侵害人類，女王別無他法，才創造魔幻世界分隔兩族。迦莉所帶來的和平，不過是自欺欺人。」

弱肉強食不只是森林法則，時至今日，人界中強大的國家仍無時無刻在想辦法吞併弱國。

「而事實證明迦莉錯了，魔幻世界誕生沒多久，她便葬身在九頭蛇的手上。」米迦勒所說的，迦南在轉生魔鏡中經歷過，女王死在帝王的懷中時充滿遺憾。

最令迦南無法反駁的地方，是她親身體驗到從不會魔法的平凡生活，走進**多姿多彩**的魔幻世界。

因為魔力覺醒，迦南才在圖書館找到隱蔽的傳送門，繼而走進魔幻世界，她在學園認識到一班難能可貴的朋友，還和他們經歷了一次又一次緊張刺激的冒險。

沒有魔法，這些經歷也不會發生，迦南更不會和安德魯相遇。

「現在傳送門已關上，妖魔沒法阻止我們，這是讓全民魔力覺醒的最佳時機，你願意和我一起創造這奇蹟嗎？」米迦勒指向火箭，這是進行這計劃必不可少的工具。

「讓所有人……也能使用魔法嗎？」**魔法對迦南來說是改變人生的契機**，如果能讓更多人和她一樣，她覺得未嘗不是一件美事。

魔幻世界的妖魔不會袖手旁觀，迦南看見魔法對人類帶來的美好，但妖魔看到的是危機，所以米迦勒耐心等待傳送門關閉，才向迦南展示這改變世界的藍圖。

「女王，人類不進化到下一個階段，終有一天會被妖魔滅絕。九頭蛇海德拉正在人界大肆破壞，我們馬上回地面吧。」米迦勒收到獵人傳來的警報，海德拉終於按捺不住向人界大規模報復。

九頭蛇和女王碰頭有如**歷史重演**，但這次結局一定會有所不同，因為這次在人類女王身邊的不是吸血鬼，而是最強的守望者。

摩天大廈天台上，九頭蛇海德拉居高臨下，他看著路面上渺小的人類，和人類看著螻蟻沒有分別。
「海德拉大人，所有魔獸已各就各位，幹部和其他成員也準備就緒了。」不死族依娃站在海德拉身邊，無論海德拉的決定是什麼，她也誓死相隨。

「今日過後，人界和魔幻世界的歷史也將會改寫。妖魔們，讓人類重新感受那遺忘已久的恐懼吧！」海德拉釋放出幽暗漆黑的魔力，像要把藍天染黑，引起**腥風血雨**。

市中心內，多頭巨大的魔獸雪象正在橫行肆虐，牠的踏步引發地面劇烈震動，汽車被踩中立即變成廢鐵，大批市民慌忙走避，腳步不夠快的人慘被牠鼻子噴出的凍氣結成冰。

「我要把人界變成地獄！」地獄三頭犬賽伯拉斯**聲嘶力竭**地哮叫著。

黑魔法派發起全面進攻，海德拉從魔幻世界偷運到人界的大型魔獸在人界多個地方同時出現。

「哥哥……我要為你報仇！」痛失兄長的獨眼巨人大肆破壞。

黑魔法派不作任何掩飾，妖魔的存在終於在大眾面前曝光，各大新聞媒體也在即時直播人間慘況。

「**特別新聞報道，現在市內多處出現了不明生物，各位市民請留在安全的地方暫避。**」女記者冒著生命危險在現場報道，不知道犀牛魔獸正在向她迫近。

「聖騎士之劍！」艾爾文及時趕到，利落的揮劍把犀牛角斬斷。

「束縛魔炮。」艾翠絲和哥哥一收到妖魔來襲的消息便走到最前線，獵人公會的存在也無法再向大眾隱瞞。

「各地也有幹部級成員出現的消息，看來這次是黑魔法的總攻擊。艾爾文、艾翠絲，你們要好好表現，就當這次作戰是最後考核，只要能摘下幹部的首級，你們就能成為守望者。」鋼鐵的守望者拉斐爾說。

由於黑魔法派在多個地方同時進攻，獵人也只好分散兵力**逐一擊破**。

「今天實在是一個好日子，來讓我盡情享樂吧！」雷霆的守望者雷米爾心情大好，暴雷爆發把多名妖魔化為灰燼，她壓抑已久的怒火終於得以盡情抒發。

「各單位注意，發現海德拉的話立即發出信號，我們要把黑魔法派**連根拔起**。」神火的守望者烏列爾走過之處燃起熊熊烈火。

「那名使用黑焰的吸血鬼呢？他還未出現嗎？」聖光的守望者加百列雙槍齊發，靠近他的妖魔全部應聲倒地。

人類和妖魔的戰爭終於在人界再次爆發，這次沒有願意和解的領導人，雙方都只想把對方置之死地。

第八章
人間地獄

水晶球內，安德魯的意識已進入第二個空白頁，經過上一頁的修行，心魔的實力也**大大提升**，加上舒雅設置的魔法引雷針已被識破，要制服心魔變得難上加難。

「舒雅，魔法道具已所剩無機了，只守不攻撐不下去的。」摩卡和舒雅**並肩作戰**，形勢對他們十分不利。

「深淵魔法，腥紅血霧。」安德魯釋放的紅色霧氣染紅了沙灘，舒雅沒法再操縱沙土作防禦。

「看來剛才的修行令我也能靈活運用深淵魔法了，不愧是魔界之王的魔法……莫說是拯救迦南，就算把獵人全部殺光也有可能。」心魔的魔力持續急升。

「若這時候被他闖出水晶球，後果**不堪設想**……」反觀舒雅卻漸見力竭。

「前輩，我可以用人魚之歌喚醒安德魯。」愛莉說。

「這樣會打斷安德魯的進度，非必要時也不要**出此下策**。」舒雅還能繼續，她還未使用最後的皇牌。

「讓我來吧，舒雅，解除封印。」摩卡不是普通黑貓，牠會說話，會魔法，還擁有不下大型魔獸的力量。

「拜託你了，摩卡。」雖然舒雅知道摩卡不喜歡這狀態，但現在只是第二階段，他們不能用盡所有法寶。

魔法陣在摩卡腳下發出亮光，黑貓摩卡搖身一變成為體型龐大的黑豹。

「小子，放馬過來。」摩卡曾被米迦勒的種種實驗導致身體變異，是舒雅好不容易才能回復他黑貓的樣子。

「***有意思……就讓我來看看深淵魔法到底把我變得有多強大吧！***」黑色電雷凝聚在手，心魔再次發起進攻。

如此同時，人界各處爆發的戰鬥**愈發激烈**，黑魔法派和獵人公會精英盡出，不會使用魔法的人類在妖魔和魔獸的侵襲下毫無還手之力，他們甚至不知道傷害他們的到底是什麼，因為魔幻世界的存在一直被公會隱瞞。

「這些怪物到底是什麼來的？」地面上的市民狂奔向地鐵站，期望走到地底便能避開龐大的魔獸。

爭相走避的市民已無暇顧及其他人的安全，你推我擁、互相踐踏，全無秩序可言。人類互相造成的傷害，甚至比被魔獸直接屠殺的更多。

地面淪為人間地獄，地底下又一樣危機四伏。市民以為列車到達他們便能脫險，誰知車門打開卻有數之不盡的毒蜂**洶湧而出**。

「看看你們這些軟弱和自私的人類是多麼醜陋，妖魔取代人類是天經地義的事。」黑魔法派幹部毒蜂女莎朗在**趕盡殺絕**。

「人類的確還需要進化，所以我很認同米迦勒想讓全人類魔力覺醒的計劃。」神火的守望者烏列爾緩緩走近。

「是殺害了我們無數同胞的守望者……立即解除你身上的魔力，否則我便命令毒蜂把在場所有人殺死！」莎朗深知以一人之力難敵守望者，企圖**挾持人質**要烏列爾就範。

但妖魔，太不了解人類了。

「妖魔的說話又豈能相信？在大義面前，小小犧牲是在所難免的。」烏列爾沒有退縮，神火迅速蔓延造成一片火海，不分毒蜂和人類一併吞噬。

人類常常以「小小犧牲」，作為方便自己的藉口。

「你……比妖魔還要狠毒。」莎朗被神火包圍，在地底下她已無處可逃。

多年前，烏列爾奉命狩獵藏匿人界中的一個妖魔家庭，在他殺剩最後一對母子時，他猶豫了。最終他不只沒有完成任務，妖魔更**乘他不備**重創了他的眼睛。

自此以後，失明的烏列爾不會再受肉眼可見的事物蒙敝，更鍛煉出過人的魔力感應取代視力，躍升到獵人的最高峰——守望者。

地面上獨眼巨人在市中心摧毀了無數大廈，喪兄之痛令他狂性大發，仗著龐大的身軀橫行霸道。

「讓我看看妖魔中力氣最大的巨人到底有多厲害吧。」鋼鐵的守望者拉斐爾單人匹馬向二郎發起挑戰。

二郎抓起消防車擲向拉斐爾，但見拉斐爾不慌不忙把它一掌拍開。

「倍化魔法。」拉斐爾以魔法把身體變得和二郎同樣高大，他享受和強勁的妖魔**生死相搏**。

「魔導靈！去協助市民疏散。」艾翠絲的猩猩和貓頭鷹魔導靈救下了險些被消防車壓扁的人。

「大家也只顧著獵殺妖魔，不理市民死活。」艾爾文感到意外，獵人們都不把拯救人們作優先考慮。

「你們還是和以前一樣天真呢，這才是人類的真面目呀，你們該不會和以前一樣，被欺騙了也**懵然不知**吧？」賽伯拉斯在艾爾文身後逐漸迫近。

艾爾文和艾翠絲曾被賽伯拉斯欺騙，誤把

安德魯當成殺害人類的妖魔，當日他們面對三頭犬無還手之力，但現在他們已**獨當一面**。

「哥哥，取下他的首級，我們就能躍升為守望者。」艾翠絲面前的是殺人如麻的妖魔。

「我們已不是會被瞞騙的小孩了，消滅你是為了還被你殘殺的人們一個公道。」艾爾文發起進攻。

而在半空之中，雷霆的守望者和不死族妖魔也在正面交鋒。雷米爾飛行魔法十分了得，在空中和騎在白骨飛龍上的依娃打得有來有往。

「不要逃跑了，和我好好玩吧！」雷米爾的雷電威力驚人，依娃在大廈之間左閃右避。

「人類的戰力比我們想像中強太多了……」除了守望者外，依娃還被手持魔力大炮的獵人窮追猛打。

只要替換魔力石，這些新編制獵人便能不停進攻，人數之多更是遠超依娃所料。

「糟糕……」躲過**槍林彈雨**，白骨飛龍還是被雷霆貫穿，依娃的手臂也遭受重創。

「今天真是一個愉快的狩獵日！」雷米爾降落在一幢大廈的天台上，慢慢步向跌墮下來的依娃。

「下一個應該去狩獵誰呢？」雷米爾笑著說。

金黃魔力在遠處突然急升，雷米爾和依娃的注意力也被吸引開去，她們都知道魔力的主人是誰，也知道這魔力足以終結這場戰爭。

第九章

絕不放棄

對外界發展毫不知情的舒雅還在和心魔硬拼，第二階段的戰況比第一階段要激烈得多，摩卡解放出黑豹的姿態助陣，但情況仍然不樂觀。

「回復魔法，治療魔法。」愛莉和美杜莎抓準時機為舒雅和摩卡提供支援，但見心魔的魔力仍然**深不見底**。

「是你們一而再，再而三拖延我的時間，讓我先了結你們！」心魔轉移視線，魔法仗指向在旁支援的三人。

「**深淵魔法，腥紅血雨！**」心魔在三人上方召喚出漆黑的烏雲，降下具侵蝕作用的紅色雨水。

「摩卡！」舒雅來不及保護她們，摩卡只好以自己的身體為她們擋雨。

「小子，你這樣的行為太不紳士了……」摩卡邊強忍痛楚邊說。

「我說過不要阻攔我的，是你們咎由自取！」心魔心狠手辣，而且愈戰愈勇。

「極限閃光魔法！」眾人爭取的時間成功讓舒雅使出大型攻擊魔法，把心魔力壓沙灘上。

「舒雅……」舒雅喚起強風把烏雲驅散，解除了變身黑豹的摩卡，需要退下火線。

「你們一直有意無意的守在那木屋前，若我沒有猜錯的話……通過木屋就能離開這水晶球了吧？」心魔佔據的是吸血鬼的身體，加上深淵魔法大大提升了這身體的再生回復能力，正面承受了舒雅的重擊也很快復原。

「不能再有所保留了。」舒雅的斜肩包中只餘下一件魔術道具。

「可惡……為什麼偏偏要在這時候！你這懦弱的小子……明明我現在已足夠強大！」心魔按著頭部叫苦連天。

「太好了，安德魯要回來了。」愛莉鬆一口氣，第二階段**險象環生**，她多次想以歌聲終止安德魯的修行。

「大家……抱歉，我害你們受苦了。」安德魯完成了第二階段。

「呼……剛才的情況真的有點不妙，心魔已發現了這水晶球的秘密，下一次將會更難應付。」摩卡傷勢不算嚴重，***重整旗鼓***後還可以和舒雅並肩作戰。

「愛莉、米露、美杜莎，最後的一戰你們不要參與了，從木屋離開吧。」舒雅嚴肅地說。

「不，我們還有餘力，而且我的歌聲能喚醒安德魯……」愛莉話未說完便被舒雅打斷了。

「下一次心魔一定會優先對付你們，我已沒有餘力確保你們周全了。萬事屋有結界保護著，只要你們不離開，獵人暫時不會找到這裡的。」舒雅需要全力應戰，她對能否阻攔心魔已沒有十足把握。

「舒雅，不如……」安德魯知道自己對眾人造成傷害十分內疚，放棄或者是較為正確的選擇。

「**不可以放棄，魔法萬事屋是絕對不會中途放棄委託的。**」舒雅斬釘截鐵的說。

魔界之王的遺物，由安德魯的父親安古蘭交到舒雅手上，靜待漫長的歲月直至安德魯出現才**重見天日**。舒雅相信這不是偶然，當中一定有前人想告訴安德魯的重要訊息，那可能比深淵魔法更為重要。

「我明白了，最後階段，我一定會儘快完成的。」舒雅把希望寄託在安德魯身上，他要以行動回報對方。

最後階段即將開始，可是人界經歷了難以修復的衝擊，人類知道了魔幻世界的存在，妖魔可怕的一面正被直播到整個世界。

「女王，現在你相信我了吧？」米迦勒說。

傷者的悲鳴傳入了迦南耳中；死者的屍體迦南親眼目睹。

「現在是時候公開所有真相，讓人類得到保護自己的力量了。」米迦勒以天啟財團的研究讓人類軍隊有力量對抗妖魔，這龐大的戰力是黑魔法派始料不及的，他早已為這場戰爭做好準備，加上守望者對幹部逐一擊破，戰況逐漸明朗起來。

任憑雪象再勇猛，在大量魔力槍炮的火力壓制下也***命懸一線***，雪象倒下的位置剛好有一輛載滿乘客的小學校巴，放任不管的話學生恐怕**無一倖免**。

「我明白了。」迦南以金黃魔力在校巴上築起防護網，保護了無辜的數十條人命。

米迦勒刻意袖手旁觀，他要迦南親自出手，要迫迦南作出選擇。

在妖魔和人類兩者之間，你到底站在哪一方？

「結束這場戰爭後，便照你意思去辦吧。」迦南作出了選擇，她身上的金黃比過去更加耀眼。

「不愧是我的女王，你的選擇將造福全人類。」米迦勒成功了，迦南卸下了心中的最後防線。

迦南飛到空中，現在的她不再是弱小無助的小女孩，有能力結束眼中的紛亂。她環顧四週確認所有大型魔獸的位置，魔法手鐲呼應她的魔力變成弓箭形態。

「傳送門，打開。」迦南在各魔獸頭上打開了傳送門，然後把注滿魔力的光箭射向傳送門。

唯有變得**鐵石心腸**，才能拯救更多生命。昔日善良的少女今日已成為無情的女王，魔力光箭例無虛發，魔獸**無處可逃**，全部成了迦南的箭下亡魂。

「迦南啊，你實在令我嘆為觀止……」米迦勒很滿意，這次他成功了，他親手培育的女王，沒有違背他的意思。

「發現女王了……只要殺死她就能扭轉敗局。」變色龍索隆一直隱藏身影，迦南的高調行事，曝露了她的位置。

「任何人也休想阻礙女王蛻變。」米迦勒守候在迦南身邊，他的魔力令索隆身體不受控制。

「為什麼……我的手腳全都不聽使喚？」索隆充滿疑問，他不只解除了隱身，還以自己的手捏緊自己的脖子。

「安靜，我要靜心欣賞女王優美的英姿。」

米迦勒不動聲色便消滅了一名幹部，這便是幻象的守望者可怕之處。

所有大型魔獸也倒下來了，在新聞直播下全人類目睹了這令人驚嘆的一幕，這刻不只一直信奉公會的信徒，所有人也對女王產生了信仰。

妖魔縱然可怕，但人類中存在這壓倒一切的力量，只要有她，再多妖魔他們也不用害怕。

「找到了，我命運中的宿敵。」海德拉發現了迦南，八條長蛇從他背後冒出。

「九頭蛇海德拉。」在空中的迦南也察覺到他**惡意滿滿**的魔力。

當日在霧林被九頭蛇嚇得瑟瑟發抖的迦南，現在已不再覺得害怕，既然女王和九頭蛇之間有著宿命，她便親自斬斷這危害人間的毒蛇。

第十章

相信和平的人們

看到女王親自上陣，所有獵人也士氣大增，黑魔法派大勢已去，被一舉殲滅只是時間問題。

「投降吧，別作無謂掙扎了。」在艾爾文和艾翠絲**左右夾擊**之下，三頭犬賽伯拉斯節節敗退。

昔日被賽伯拉斯玩弄於鼓掌的兩位年輕獵人，今日已獨當一面能夠一雪前恥。

「黑魔法派寧死不屈，就算我今天命喪黃泉，也要拉更多人類陪葬……」賽伯拉斯的魔力在體內膨脹，他把自己的身體當成炸彈，威力足以把附近一帶**夷為平地**。

「哥哥，不殺死他的話，會有更多人死於非命的。」艾翠絲知道刻不容緩，但她還是沒法狠下殺手。

「沒辦法了……」為了成為守望者，也為了拯救更多人於**水深火熱**，艾爾文只好狠下心腸。

艾爾文疾速奔馳，以聖劍高速刺向賽伯拉斯的心藏，就在千鈞一髮之際，火龍的利齒阻擋了聖劍的去勢。

「別**沖昏頭腦**，我沒有教你們這情況下的應對方法嗎？」魔導靈三頭火龍的主人手執魔法杖，以魔法讓賽伯拉斯沈睡。

「師父！」艾爾文和艾翠絲欣喜若狂，銷聲匿跡多時的丹妮絲終於出現。

「看來我不在的期間，你們沒有疏於鍛煉呢！」丹妮絲並沒有退隱，雖然右京離世令她大受打擊，但她沒有被悲傷吞噬。

「這段時間你去哪裡了？獵人和妖魔現在勢成水火，我們到底該怎麼辦？」比起**冷酷無情**的守望者，艾爾文更相信丹妮絲。

「我去了尋找可以信賴的伙伴，想不到傳送門會突然關閉，我和伙伴們差點錯失回來的最後機會。」右京死後，丹妮絲便啟程前往魔幻世界。

「伙伴？在魔幻世界有師父的伙伴嗎？」艾翠絲十分意外。

「**無論是哪一個世界、哪一個種族，也有願意為和平奮不顧身的人**，我就是為了召集這群人才離開獵人公會的。」

右京的遺言令丹妮絲知道，天啟財團和獵人公會關係密切，她不再相信舊有的體制。

「今天人類和妖魔已死傷得太多了……」丹妮絲拿出一道符咒，符咒法術用作把賽伯拉斯轉移到安全的地方。

「人界需要新的秩序，由人類和妖魔共同建立的新秩序，在這秩序建立起前，迦南和海德拉**缺一不可**。」丹妮絲說罷與魔導靈揚長而去，她要阻止更多無意義的傷亡。

戰場的另一邊，拉斐爾和獨眼巨人二郎拳來腳往，在鋼鐵魔法的強化下巨人最終敗陣下來。

「巨人也不外如是嘛！」殺紅了眼的拉斐爾還未滿足，鋼鐵面具也難掩他興奮的笑容。

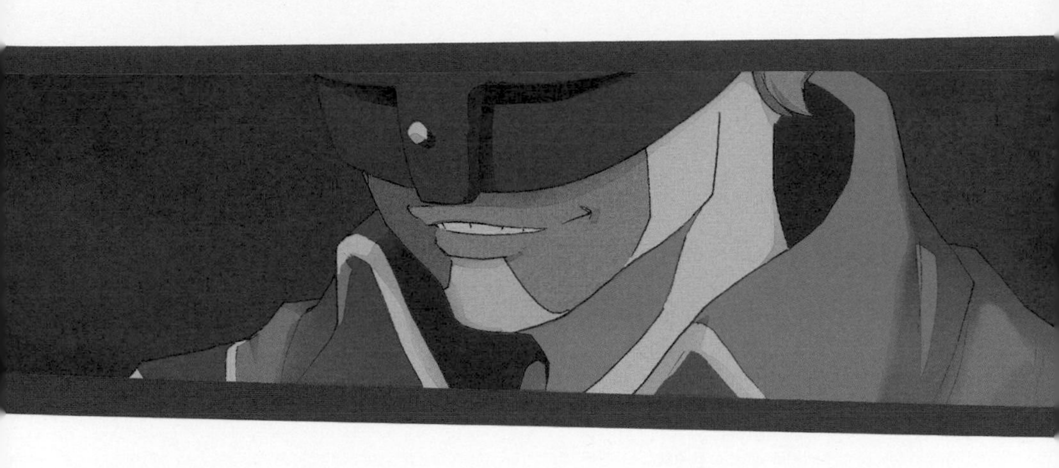

醉心於力量的拉斐爾並非為正義而戰，他只不過在享受戰鬥帶來的快感，唯有戰勝強大的妖魔，他才能體會到活著的喜悅。所以他才戴上面具，不讓人看到他瘋狂的表情。

「你的頭顱我就收下了，能成為我的收藏品是你的榮幸。」拉斐爾慢慢步向昏迷不醒的二朗。

「如意金剛棒，伸長！」孫悟空腳踏筋斗雲**從天而降**，他的身邊還有曾是迦南老師的唐三藏。

「東方的妖魔怎會在人界出現？傳送門不是關上了嗎？」拉斐爾被金剛棒迫退，孫悟空的出現在他意料之外。

「師父，這傢伙相當惡劣，要懲戒一下他嗎？」就算對手是守望者，齊天大勝孫悟空也有**戰無不勝**的自信。

「悟空，不要戀戰。我們要配合丹妮絲的計劃，盡量減少人類和妖魔的傷亡。」唐三藏也是丹妮絲從魔幻世界召集的伙伴。

「收到！」只要有唐三藏的地方，孫悟空也樂意跟隨。

地下鐵內被火焰圍困的人們絕望地叫喊，烏列爾雖然消滅了妖魔，但他沒有理會尚待拯救的人類，早已遠去。

「鳳禧，你能控制火勢吧？」人狼卡隆是皇家騎士團團長，代表著西方魔幻王國。

「小事一樁。」戴罪之身的女帝則是東方聯合國派出的代表。

「卡爾、四葉，你們儘快救出傷勢嚴重的傷者。」卡隆的兒子和未來媳婦太擔心身在人界的摯友，他們暫停了實習工作加入丹妮絲的聯盟。

妖魔不是全都會傷害人類，丹妮絲組織的聯盟正在散播這個信息。

「新型防禦魔法，鐵壁圍城之術！」迦南的父母也遠渡而來，史提芬和玥華以防禦魔法阻隔開在市中心混戰的獵人和妖魔。

「大家拿著符咒，轉移到安全地方暫避吧。」科學怪人法蘭向黑魔法派的餘黨派發符咒，三位魔法老師離開學園加入了丹妮絲的陣營。

「迦南……你千萬不要有事。」玥華望向魔力激烈爆發的遠方。

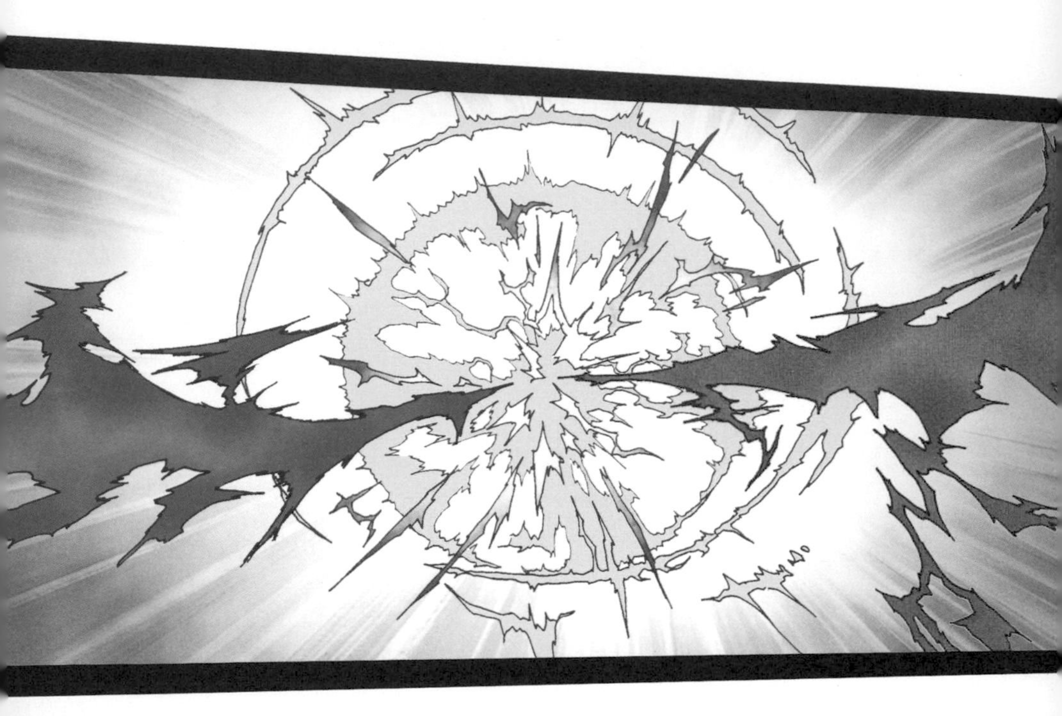

金黃魔法和黑魔法兩道光芒在空中對撞，**迦南和海德拉已在展開宿命對決，雙方也在傾盡全力為自己的種族而戰。**

但無論是黑魔法派或獵人公會獲勝，勝方也不會同時為兩個世界的利益著想，唯有由人類和妖魔共同創立的聯盟，才能達到真正的公平。

安德魯的意識進入了最後的空白頁，回到破落的古城。經過兩次修行後，安德魯散發的魔力已和魔界之王**不相伯仲**。

「迦南在等我，馬上開始最後階段吧！」安德魯**全神貫注**，但等待他的人卻不只安格斯一個。

你的最後考驗
原來是我嗎？

如果無法刻服心魔，就算讓你出去，也只會被操控，淪為那卑鄙小人的傀儡。

「在信中你曾提及過這件事，但我們的對話未完，我便被喚醒了……你所指的到底是誰？我到底忽略了什麼？」安德魯心急地問。

當日安格斯殺死九頭蛇為女王迦莉報仇，傷心欲絕的他選擇不問世事，銷聲匿跡。他選擇在迦莉深愛的人界孤獨地渡過餘生，卻發現了不為人知的可怕真相。

下 回 預 告

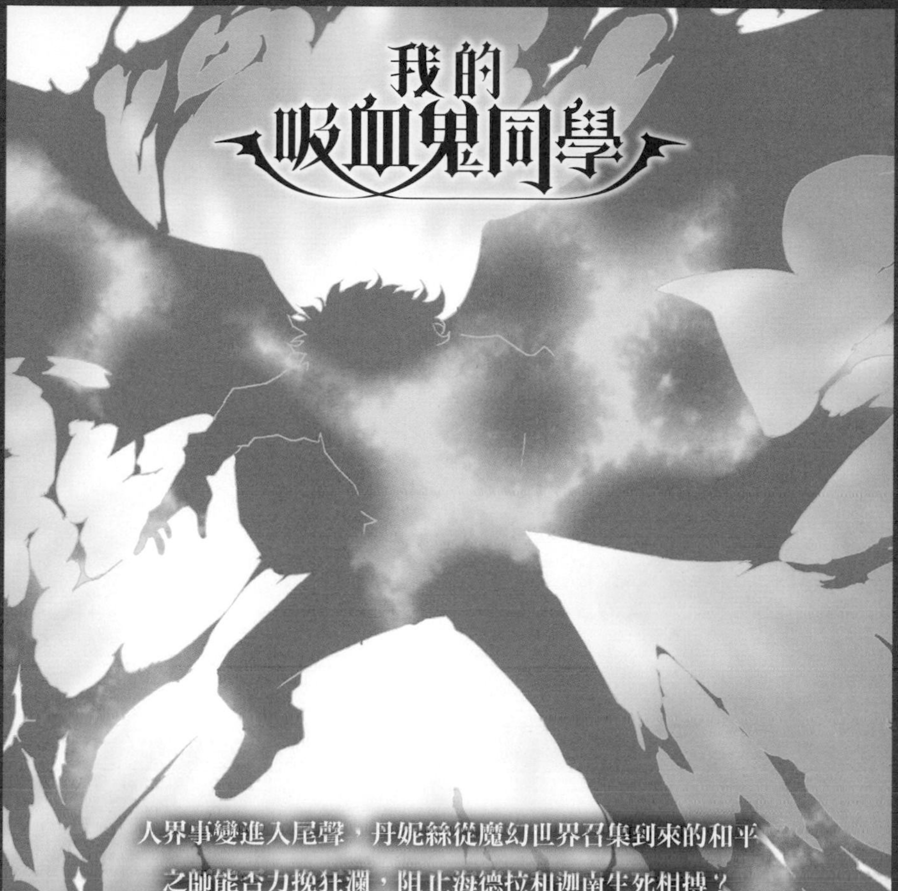

我的吸血鬼同學

人界事變進入尾聲，丹妮絲從魔幻世界召集到來的和平之師能否力挽狂瀾，阻止海德拉和迦南生死相搏？

深淵魔法修煉圓滿結束，安德魯將從魔界之王口中得知米迦勒強大的秘密，和他為何對迦南這麼執著。

vol.24 2024年5月出版

大結局倒數，還有2期！

都市傳聞
古怪調查
不可思議

最受歡迎的

華麗貴族校園小說

全新第二季

推理七公主II

原班人馬　2024年7月歸來

我的吸血鬼同學

創作繪畫　余遠鍠
故事文字　陳四月
策劃　YUYI
編輯　小尾
設計　陳四月
校對　Eva Lam
實景　張耀東
製作　知識館叢書
出版　創造館
CREATION CABIN LTD.
荃灣美環街 1-6 號時貿中心 6 樓 4 室
電話　3158 0918
發行　泛華發行代理有限公司
香港新界將軍澳工業邨駿昌街七號二樓
印刷　高科技印刷集團有限公司
出版日期　2024 年 5 月
ISBN　978-988-70026-0-4
定價　$78
聯絡人　creationcabinhk@gmail.com